LA CIGARRA Y LA HORMIGA

Un caluroso día, la Cigarra descansaba y se abanicaba sobre los pétalos de una flor.

Plácidamente la Cigarra observaba y disfrutaba la naturaleza, sin preocuparse por trabajo alguno.

La Cigarra vanidosa, preguntó
a las hormigas: *¿Porqué trabajan
tanto sin admirar y disfrutar
del paisaje?*

e. BUSQUETS

La reina de las hormigas
retiró a sus pequeñas de la
compañía de la Cigarra,
pues ésta era una holgazana.

El tiempo pasó y el otoño llegó
y mientras las hormigas
trabajaban sin descanso,
la Cigarra aún cantaba.

Por fin, el invierno llegó y la
Cigarra padecía de hambre y
frío pues por holgazana no se
había prevenido.

Cuando la Cigarra estaba a punto de congelarse, las hormigas la refugiaron en su casa.

Al verlas la Cigarra
pensó: *Ahora entiendo,
hay momentos en los
que trabajan y ahora
sólo descansan*.

La Cigarra comprendió
que no hay nada bueno en
la flojera y para agradecerles
tocó y bailó todo el invierno.

EL CUERVO Y EL ZORRO

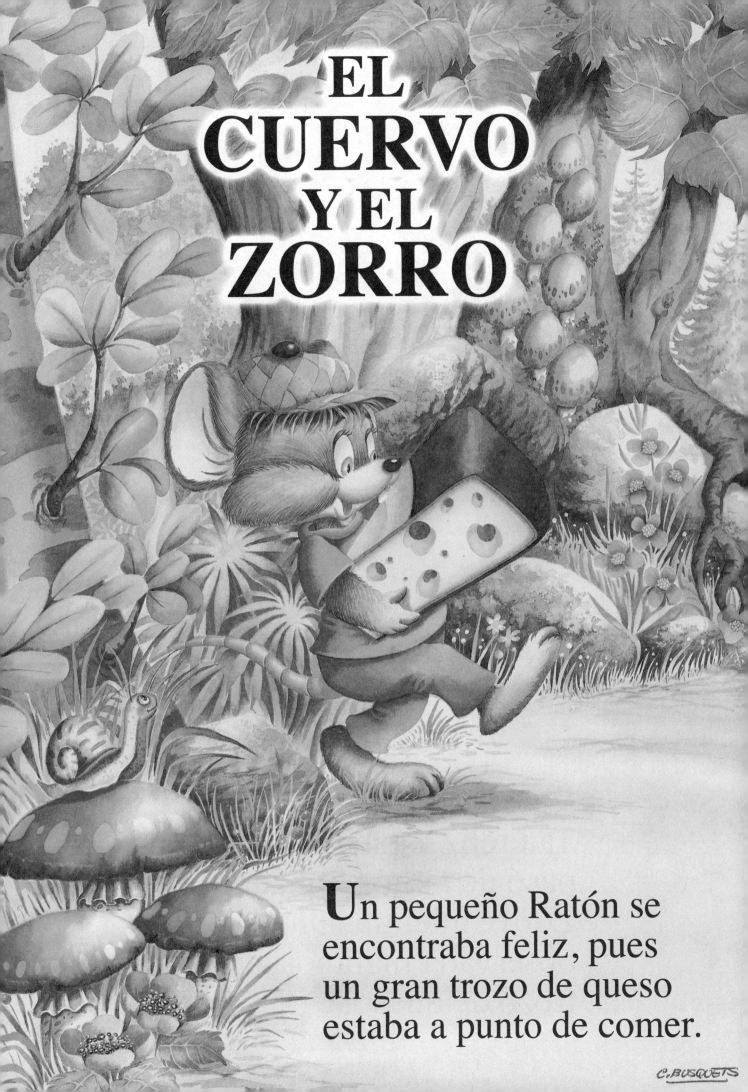

Un pequeño Ratón se encontraba feliz, pues un gran trozo de queso estaba a punto de comer.

Tan feliz estaba el Ratón que pasó de largo a un adormecido Zorro, mientras un Cuervo observaba maliciosamente el trozo de queso.

Cuando el Ratón se disponía
a comer su queso, el Cuervo
hábilmente voló y robó el
codiciado manjar.

C. BUSQUETS

El Zorro, aunque adormecido, se compadeció del pobre ratón y pensó: *este Cuervo tramposo no lo volverá hacer.*

El Cuervo, orgulloso de su acción voló a la rama de un árbol, pensando que ahí no le podrían quitar el queso.

El Zorro, mientras caminaba
hacia el árbol en que se encontraba
el Cuervo, aduló la melodiosa voz
del mismo.

¿Cómo está señor Cuervo,
es verdad que tiene una
melodiosa voz?. El Cuervo
que era muy vanidoso,
empezó a cantar.

Tan pronto cantó, el queso cayó,
el Zorro lo tomó y advirtió al
Cuervo de su mala acción.

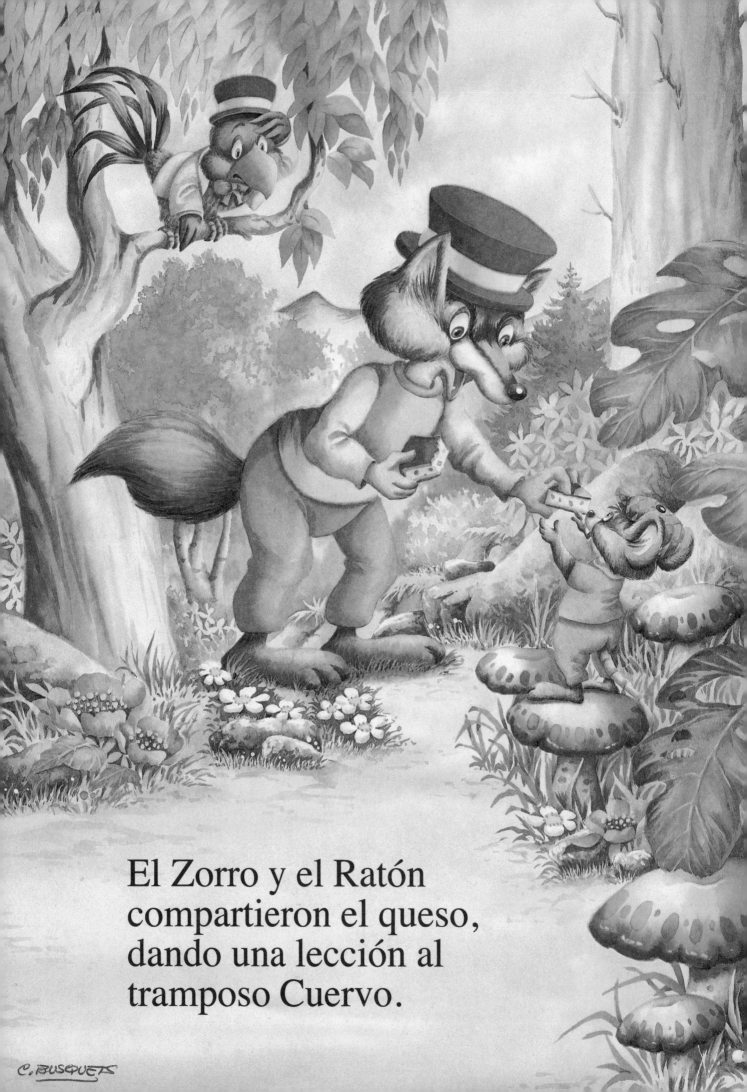

El Zorro y el Ratón
compartieron el queso,
dando una lección al
tramposo Cuervo.

LOS
TOPOS
AGRADECIDOS

Después de mucho caminar, Bernardo y su amigo Pichín, decidieron descansar en un lugar tranquilo.

"*Hace poco ví, detrás de los árboles, una casa* -dijo Bernardo- *ahí podremos pedir hospedaje*"

Se encaminaron hacía la casita y ya para llegar, se abrió la puerta de un golpe: *"¡No quiero volver a verlos,* -gritaba el casero a dos pobres topos- *holgazanes!"*

Bernardo les preguntó a los topos "*¿Qué fue lo que les sucedió?*". "*Lo que pasa es que nosotros no vemos muy bien y causamos muchos desastres, por eso nos echaron*"

Bernardo viendo tristes a los topos, les regaló sus últimas monedas. Al oscurecer, Bernardo y Pichín tocaron a la puerta del casero, pues era la única en la zona.

*"Buscamos un refugio para pasar la noche, ofrecemos nuestros servicios y ayuda..."*dijo Bernardo. El casero aceptó indicándoles:

"Pero les advierto que aquí no hay posada para holgazanes, de lo contrario se marcharán". Al otro día se levantaron temprano para limpiar la casa.

Pasaron los días; en una mañana en que Bernardo y Pichín salieron por leña, se encontraron a los topos trabajando en su madriguera. "*¿Quiéren visitarla?*" dijeron los topos y Bernardo aceptó.

La casita era muy cómoda y con grandes espacios. *"¡Va a ser muy bella!"* dijo Pichín. *"¿Les gustaría quedarse?"* preguntaron los topos, Bernardo contestó: *"Lo siento, debemos terminar nuestro trabajo"*

Cuando salían de la casa, se dieron cuenta del mal tiempo que había, "*¡Corramos*, -dijo Bernardo- *dentro de poco empezará una tormenta!*"

Mientras corrían, la lluvia se desató junto con truenos y relámpagos, *"¡Cuidado!"* -gritaba Bernardo, pues un rayo cayó cerca sobre un árbol seco.

El viejo tronco rápidamente se incendió. Los dos amigos corrieron a refugiarse con el casero, que ya los estaba esperando. Mientras las flamas y el humo avanzaban hacia ellos.

El humo invadió toda la casa,
casi no podían respirar.
"*¡Pobres de nosotros, nos
espera un feo final!*"
dijo Pichín.

De improviso, aparecieron de un túnel
en el piso, los topos que dijeron:
"*¡Ánimo, síganos al subterráneo, ahí
estaremos a salvo!*"

Por fortuna la lluvia apagó el fuego en poco tiempo: ¡*La casa estaba a salvo!*.

El casero agradeció a los topos por salvarle la vida. Bernardo y Pichín estaban satisfechos, habían encontrado a tres nuevos amigos.